Günter Schneider

Berlin

Bilder einer Metropole
Pictures of a Metropolis
Images d'une métropole
Imágenes de una metrópoli

Jaron Verlag

Bilder einer Metropole

Berlin ist eine Metropole – keine Frage. Dabei fehlt Berlin einiges, was eine Metropole eigentlich ausmacht. Die deutsche Hauptstadt ist kein bedeutendes Wirtschaftszentrum und hat keinen internationalen Flughafen. Sie ist nicht so alt wie andere Hauptstädte, nicht so groß – und spätestens seit dem Zweiten Weltkrieg nicht mehr so schön.

Und doch ist Berlin eine Metropole, eine Weltstadt wie nur wenige andere. Denn Berlin hat eine Ausstrahlung, die weit hinausgeht über die Summe seiner Sehenswürdigkeiten, seiner Bevölkerungszahl und seiner Wirtschaftskraft.

Berlin ist ein Mythos. Mag man es auch im täglichen Leben nicht merken – dieses Gefühl des Besonderen ist tief verankert im Bewusstsein der Bewohner und der Besucher Berlins. Kaum eine Stadt wurde so oft zum Symbol – für Entwicklungen in Deutschland, in Europa, ja der Welt. Immer wieder prallten hier Geschichte und Zukunft, die Sehnsucht nach dem Vergangenen und die Neugier auf das Künftige aufeinander. Erst vor wenigen Jahren sagte US-Präsident Bill Clinton: »Berlin ist heute Symbol für alles, was Europa werden möchte.« Wohl in keiner anderen Stadt wurden so viele bedeutende Worte gesprochen.

»Ihr Völker der Welt, schaut auf diese Stadt!« rief einst Ernst Reuter aus, Berlins Regierender Bürgermeister nach dem Zweiten Weltkrieg. Berlin war immer exponiert. Mit dem Aufstieg Preußens stieg es vor dreihundert Jahren wie ein Phönix aus dem märkischen Sand. Es wurde zum Symbol des rasanten Aufstiegs des Kaiserreichs, es wurde Sinnbild der verrückten und lasterhaften »Goldenen Zwanziger«. Berlin sollte, wäre es nach Hitler gegangen, zum Symbol für die globale Herrschaft der Nationalsozialisten werden – als Welthauptstadt Germania, zu der es glücklicherweise nie kam. Nach dem Zweiten Weltkrieg fand sich Berlin als weltgeschichtliches Kuriosum wieder: geteilt in zwei Hälften, die sich als Stellvertreter feindlicher Systeme im Kalten Krieg gegenüberstanden. 1989 dann, mit dem Fall der Mauer, wurde Berlin zum Symbol der deutschen und der europäischen Wiedervereinigung.

Im ersten Dezennium des 21. Jahrhunderts steht die Stadt, wie der ganze Kontinent, vor ungewissen Zeiten. Die Europäische Union wächst nach Osten, was mit großen Hoffnungen und Erwartungen, aber auch mit Ängsten verbunden ist. Und wieder ist Berlin mitten drin – wirtschaftlich und kulturell. Die Grenze zu Polen ist kaum hundert Kilometer entfernt, und die Künstler der »Russendisko« haben gewichtige Spuren im Nachtleben hinterlassen.

Berlin war immer Anziehungspunkt für Künstler, Bohemiens, wache Geister. Denn der Mythos der Vergangenheit ist erstaunlicherweise kein Hemmschuh, sondern gibt der kreativen Szene Kraft für die Zukunft, Mut für das Neue, das Wagnis. Berlin eröffnet Freiräume.

Berlin fasziniert nicht wegen des Charmes seiner Bewohner oder wegen der landschaftlich schönen Umgebung. Berlin fasziniert wegen der besonderen Atmosphäre, des kulturellen Angebots, der Lebensqualität. Berlin ist eine Stadt, die in ihren Bann schlagen kann und die Maßstäbe setzt. Eine Metropole eben.

Pictures of a Metropolis

Berlin is a metropolis – there is no doubt about it. But Berlin does seem to lack some of the things that make a metropolis what it is. The German capital is not an important economic center and doesn't have an international airport. It is not as old as other capitals, not as large and – at least since World War II – not as attractive.

And still, Berlin is a metropolis, a cosmopolitan city unlike any other. This is because Berlin has an aura that radiates well beyond the sum of its tourist attractions, population size and economic power.

Berlin is a legend. It may go unnoticed in the routine of everyday life, but this feeling of specialness is deeply entrenched in the consciousness of its residents and visitors. No other city has so often been a symbol – for developments in Germany, in Europe and even in the world. History and future repeatedly collide into each other – a yearning for the past and a curiosity for what is still to come. Just a few years ago the American president Bill Clinton said: "Berlin is today a symbol for everything that Europe wants to become." Clearly, there are few cities in which so many meaningful words were spoken.

"Peoples of the world, look at this city!" These were the words of Ernst Reuter, Berlin's first mayor after World War II. Berlin was always prominently exposed. With the rise of Prussia three hundred years ago, it rose like a phoenix out of the sand of the Mark Brandenburg. It became both a symbol of the rapid rise of Imperial Germany and of the wild and depraved "Golden Twenties." And had things gone according to Hitler's plans, Berlin would have become a symbol of National Socialist global rule – the cosmopolitan capital of Germania. Fortunately, it never came to this. After the Second World War Berlin became a curiosity of world history: Two divided halves that faced each other as representatives of the hostile systems of the cold war. Then, in 1989, with the fall of the Berlin wall, Berlin became a symbol of German and European reunification.

In the first decade of the 21st century, the city, like the entire continent, faces uncertain times. The European Union is expanding to the East, full of hope and expectations, but also apprehension. And once again Berlin finds itself smack in the middle – economically and culturally. The border to Poland is barely a hundred kilometers away. And the "Russian Disco" artists have also left their mark on Berlin's nightlife.

Berlin has always attracted artists, bohemians and lively spirits. Surprisingly, the legend of the past is not an impediment, but actually invigorates creative forces for the future, providing them with the courage to explore the unknown and to take risks. Berlin opens up possibilities.

It is not the charm of its residents or the lovely surrounding landscapes that makes Berlin so fascinating. It is the special atmosphere, the cultural activities, the quality of living. Berlin is a city that captivates and sets standards. Simply put: a metropolis.

Images d'une métropole

Berlin est une métropole, c'est évident! Cependant, il lui manque certains éléments caractéristiques des métropoles: la capitale allemande n'est pas un centre économique important et ne dispose pas d'un aéroport international, elle est moins vieille et moins grande que d'autres capitales – et depuis la Seconde Guerre mondiale, elle n'est plus aussi belle.

Et pourtant, Berlin est une métropole, une capitale comme peu d'autres. Car le rayonnement de Berlin dépasse de loin la somme de ses curiosités, du nombre de ses habitants et de sa force économique.

Berlin est un mythe. Même si on ne le remarque pas dans la vie quotidienne, ce sentiment de singularité est profondémment ancré dans la conscience des habitants et des visiteurs. Peu de villes devinrent aussi souvent symbole: des changements en Allemagne, en Europe, et même dans le monde. Ici s'entrechoquèrent régulièrement histoire et avenir, nostalgie des temps passés et curiosité pour ceux à venir. Il y a quelques années, le président américain Bill Clinton déclarait: «Berlin est aujourd'hui le symbole de tout ce que l'Europe aimerait devenir.» Rares sont les villes où tant de paroles importantes furent prononcées.

«Peuples de la terre, regardez cette ville!» lança une fois Ernst Reuter, bourgmestre de Berlin après la Seconde Guerre mondiale. Berlin fut toujours au premier plan. Avec l'essor de la Prusse il y a trois cents ans, Berlin sortit comme un phénix du sable de la Marche. La ville devint le symbole du rapide essor de l'empire puis l'emblème de la folie et de la débauche des années vingt. Berlin devait, selon Hitler, devenir le symbole de la suprématie mondiale des Nationaux-Socialistes, la capitale du monde, Germania, ce qu'elle ne devint heureusement jamais. Après la Seconde Guerre mondiale, pendant la guerre froide, Berlin devint une curiosité de l'histoire universelle: la ville fut divisée en deux parties qui se faisaient front, chacune représentant un système politique ennemi. En 1989 ensuite, avec la chute du Mur, Berlin devint le symbole de la réunification de l'Allemagne et de l'Europe.

Dans la première décennie du 21ème siècle, la ville, tout comme le continent, se trouve face à l'incertitude de l'avenir. L'Union européenne s'ouvre vers l'est et crée espoirs et attentes mais aussi angoisses. Et Berlin est à nouveau au milieu de tout cela – tant économiquement que culturellement. La Pologne est à moins de cent kilomètres, et les artistes des «discothèques russes» ont marqué de leurs empreintes la vie nocturne.

Berlin a toujours attiré les artistes, la bohème et les intellectuels. Car, étrangement, le mythe du passé n'est pas un handicap, il donne au contraire aux créateurs de la force pour l'avenir, du courage pour ce qui est nouveau, de l'audace. Berlin ouvre de nouveaux espaces.

Ce ne sont ni le charme des habitants ni la beauté de ses environs qui fascinent à Berlin. Ce qui fascine, c'est son atmosphère singulière, sa richesse culturelle, sa qualité de vie. Berlin est une ville qui envoûte et qui donne le ton, une métropole!

Imágenes de una metrópoli

Berlín es una metrópoli, no hay duda. Pero le faltan algunas cosas propias de una metrópoli. La capital de Alemania no es un importante centro económico, tampoco tiene un aeropuerto internacional. No es tan antigua ni tan grande como otras capitales. Y desde la Segunda Guerra Mundial ya no es tan bella.

Sin embargo, Berlín es una metrópoli, una ciudad cosmopolita. Pues posee un esplendor que sobrepasa la suma de sus monumentos turísticos, el número de sus habitantes y la fuerza de su economía.

Berlín es un mito. Puede no ser percibido en la vida diaria, pero ese sentimiento de lo especial está profundamente arraigado en la conciencia de sus habitantes y de sus visitantes. Ninguna otra ciudad ha figurado tantas veces como símbolo de diferentes desarrollos en Alemania, en Europa e incluso en el mundo. Una y otra vez han chocado uno con otro la historia y el futuro, la nostalgia del pasado y la curiosidad de lo porvenir. Hace pocos años dijo el Presidente de los Estados Unidos, Bill Clinton: "Berlín es hoy el símbolo de todo aquello que Europa quisiera ser." Realmente, en ninguna otra ciudad se han pronunciado tantas palabras importantes.

"Pueblos de la tierra, dirigid la vista a esta ciudad!" dijo una vez Ernst Reuter, el Alcalde Gobernador de la ciudad después de la Segunda Guerra Mundial. Berlín siempre ha estado expuesta. Con el encumbramiento de Prusia hace trescientos años se levantó como un fénix de las arenas de la Marca. Se convirtió en el símbolo del ascenso vertiginoso del Imperio, fue el emblema de los locos y escandalosos "dorados años viente". Tendría que haberse convertido – de acuerdo a lo que Hitler quería – en el símbolo del dominio global de los nacionalsocialistas, en la capital cosmopolita de Germania, a lo que afortunadamente no llegó. Después de la Segunda Guerra Mundial, Berlín volvió a ser algo único en la historia universal: una ciudad dividida en dos mitades que como representantes de sistemas enemigos se enfrentaban en la Guerra Fría. Luego, con la caída del muro en 1989, se convirtió en el símbolo de la reunificación alemana y europea.

En el primer decenio del siglo XXI la ciudad, como todo el continente, está frente a una época incierta. La Unión Europea crece hacia el este, lo que va unido a grandes esperanzas y espectativas, pero también a temores. Y de nuevo está Berlín en medio, económica y culturalmente. La frontera con Polonia dista apenas cien kilómetros y los artistas de la "discoteca rusa" han dejado importantes huellas en la vida nocturna.

Berlín ha sido siempre una atracción para los artistas, los bohemios y los espíritus despiertos. Porque el mito del pasado sorpendentemente no es un freno sino da a la escena creativa fuerza para el futuro, ánimo para lo nuevo, atrevimiento. Berlín abre espacios libres. Y fascina, no por el encanto de sus habitantes o por los bellos paisajes del entorno, sino por la atmósfera especial, la oferta cultural, la calidad de vida. Berlín es una ciudad que puede cautivar y que establece normas. Justo, una metrópoli.

Das politische Herz der Bundesrepublik schlägt im Grünen: im nördlichen Tiergarten. Neben dem Reichstag, unter dessen gläserner Kuppel seit 1999 der Deutsche Bundestag zusammentritt (nächste Seite), vereinigt das »Band des Bundes« (links außen) Legislative und Exekutive: die Verwaltungsgebäude des Bundestages (links das Paul-Löbe-Haus) und das Kanzleramt (oben).

The political heart of the Federal Republic beats in nature, in northern Tiergarten. Next to the Reichstag, where the German Parliament has convened under the glass cupola since 1999 (next page), the "Federal Ribbon" (outer left) unifies the legislature and the executive: the administrative building of the Parliament (the Paul-Löbe-Haus at left) and the Chancellery (above).

Le cœur politique de la République fédérale bat dans la verdure: dans la partie nord du Tiergarten. A côté du Reichstag, sous la transparente coupole duquel le Bundestag tient ses séances depuis 1999 (page suivante), le «Cordon fédéral» (à gauche, à l'extérieur) réunit législatif et exécutif: les bureaux du Bundestag (à gauche, le Paul-Löbe-Haus) et la chancellerie (en haut).

El corazón político de la República Federal late en el verdor del norte del Tiergarten. Al lado del Reichstag, bajo cuya cúpula de cristal se reúne el Bundestag alemán desde el año 1999 (pág. sig.), la "faja de la Federación" (izq. af.) une los poderes legislativo y ejecutivo: la sede de la Administración del Bundestag (izq. Paul-Löbe-Haus) y la Oficina del Canciller (arr.).

Berlins »gute Stube«, der Pariser Platz, wird seit über zweihundert Jahren von den Rossen auf dem Brandenburger Tor bewacht. Rings um den Platz haben sich neben Banken und der Akademie der Künste vor allem auch einige Botschaften niedergelassen. Zu den Vertretungen Frankreichs (links Mitte) und Großbritanniens (links unten) wird sich die der USA gesellen.

For over two hundred years Berlin's "parlour," the Pariser Platz, has been guarded over by the stallions on top of the Brandenburg Gate. A number of embassies have also settled on the plaza, alongside a few banks and the Academy of Arts. The embassies of France (center left) and Great Britain (bottom left) will soon be joined by the United States.

La Pariser Platz, très élégante, est gardée depuis plus de deux cents ans par les chevaux qui surmontent la Porte de Brandebourg. Autour de la place se trouvent des banques, l'Académie des arts et surtout plusieurs ambassades. L'ambassade des Etats-Unis viendra se joindre à l'ambassade de France (au milieu à gauche) et à celle d'Angleterre (en bas à gauche).

La Pariser Platz – el "salón representativo" de Berlín – está vigilada por los corceles de la Puerta de Brandeburgo desde hace más de doscientos años. Alrededor de la plaza, además de algunos bancos y de la Academia de Bellas Artes, se han instalado algunas embajadas. A las de Francia (izq. centro) y Gran Bretaña (izq. ab.) se sumará la de los Estados Unidos.

Das geographische Zentrum Berlins bildet ein ausgedehnter Park: der Tiergarten, in dessen Mitte sich die Siegessäule mit der »Goldelse«, der Siegesgöttin Victoria, erhebt. Nördlich davon residiert im Schloss Bellevue der Bundespräsident. Und von dort führt ein Spazierweg am Spreeufer entlang zum »Haus der Kulturen der Welt« (mit dem markanten Dach) und zum Kanzleramt.

The extensive grounds of the Tiergarten park form the geographical center of Berlin. The victory column crowned by "Golden Else," the goddess of victory, rises from the park's center. The Federal President resides in the Bellevue Palace just to the north. A walking path along the banks of the Spree leads to the "House of World Cultures" (with its unusual roof) and the Chancellery.

Le centre géographique de Berlin est un vaste parc: le Tiergarten. En son milieu s'élève la colonne de la Victoire surmontée de la déesse Victoria dite l'«Else dorée». Au nord se trouve le château de Bellevue, résidence du président fédéral. Du palais, un sentier longe la Sprée, mène à la «Maison des cultures du monde» (à l'étonnant toit) et à la chancellerie.

El Tiergarten, un amplio parque, es el centro geográfico de Berlin. En medio de él se alza la Columna con la "Else dorada", la diosa de la Victoria. Al norte, en el Palacio Bellevue reside el Presidente Federal. Y desde allí un sendero a orillas del Spree lleva a la "Casa de las Culturas del Mundo" (con su llamativo techo) y a la Oficina del Canciller.

Mehr als 150 Staaten sind in der Bundeshauptstadt mit einer Botschaft vertreten. Im alten »Diplomatenviertel« am südlichen Tiergartenrand sind zu den frisch renovierten Altbauten – wie der japanischen Botschaft (links Mitte) – interessante Neubauten getreten, darunter die Botschaften der nordischen Staaten (links oben), Österreichs (links unten) und Mexikos (oben).

More than 150 states are represented with embassies in the federal capital. In the old "Diplomats Quarter" at the southern edge of the Tiergarten park, new interesting architecture, including the embassies of the Nordic countries (top left), Austria (bottom left) and Mexico (above) have joined freshly renovated older buildings such as the Japanese embassy (center left).

Plus de 150 pays ont une représentation permanente en Allemagne. Dans l'ancien «quartier diplomatique», qui borde au sud le Tiergarten, se sont joints des immeubles neufs, comme les ambassades des pays scandinaves (en haut à gauche), de l'Autriche (en bas à gauche) et du Mexique (en haut), à ceux fraîchement rénovés comme l'ambassade du Japon (au milieu à gauche).

En la Capital Federal más de 150 países están representados por una embajada. En el viejo "barrio diplomático" al sur del Tiergarten, a viejos edificios recién renovados como el de la embajada japonesa (izq. centro) se suman nuevas construcciones interesantes, como las de las embajadas de los países nórdicos (izq. arr.), de Austria (izq. ab.) y de México (arr.).

Am Potsdamer Platz ist in den 90er Jahren ein neues Stadtzentrum entstanden. Mittelpunkt der Daimler-City ist der Marlene-Dietrich-Platz (oben und links unten), Wahrzeichen des Sony Centers das imposante Zeltdach über dem »Forum« (unten rechts). 2004 wurde auch das Beisheim-Center an der Nordseite des Potsdamer Platzes eröffnet (rechts).

A new city center emerged in the nineties at Potsdamer Platz. The Marlene Dietrich Plaza (top and bottom left) is located at the center of the Daimler-City complex. The imposing tilted tent roof stretching over the "Forum" (bottom right) is the symbol of the Sony Center. The Beisheim Center on the north side of Potsdamer Platz opened in 2004 (right).

La Potsdamer Platz est devenue dans les années 90 un nouveau centre-ville. Le cœur de la Daimler-City, c'est la Place Marlène Dietrich (en haut et en bas à gauche). L'emblème du Sony Center, c'est l'imposant chapiteau qui se déploie au-dessus du «Forum» (en bas à droite). Au nord, sur la Potsdamer Platz, le Beisheim-Center (à droite) fut inauguré en 2004.

En la Potsdamer Platz ha surgido en los años 90 un nuevo centro urbano. El núcleo central de la Daimler-City es la Plaza Marlene Dietrich (arr. e izq. ab.). Distintivo del Sony Center es el imponente techo de pabellón sobre el "foro" (ab. der.). En 2004 se ha inaugurado también el Beisheim-Center en el lado norte de la Potsdamer Platz (der.).

Kunst- und Musikfreunde aus aller Welt zieht es ins Kulturforum. Philharmonie und Kammermusiksaal sind Heimstätte der berühmten Berliner Philharmoniker. Die Gemäldegalerie zählt einige Rembrandts, Vermeers und Dürers zu ihren Schätzen. Indes sammelt die Neue Nationalgalerie, in deren Scheiben sich die Matthäuskirche spiegelt, die Kunst des 20. Jahrhunderts.

The Cultural Forum draws art and music lovers from around the world. The philharmonic and chamber music hall are the home of the famous Berlin Philharmonic Orchestra. Quite a few Rembrandts, Vermeers and Dürers are among the treasures of the Painting Gallery. The St. Matthew's Church is reflected in the window panes of the New National Gallery, where 20th century art is collected.

Il attire les amateurs de musique et d'art: le Kulturforum. La Philharmonie et la Salle de concerts de musique de chambre sont le domicile du célèbre Orchestre philharmonique. Parmi ses trésors, la Galerie de Peintures compte des Rembrandt, Vermeer et Dürer. La Nouvelle Galerie nationale, dont les vitres reflètent l'église St Mathieu, rassemble des œuvres du 20ème siècle.

El Kulturforum atrae a los amantes del arte y de la música de todo el mundo. La Philharmonie y la Sala de Música de Cámara son morada de la famosa Filarmónica de Berlín. La "Gemäldegalerie" atesora cuadros de Rembrandt, Vermeer y Durero, mientras la Nueva Galería Nacional en cuyos ventanales se refleja la Iglesia de San Mateo, colecciona arte del siglo XX.

Rings um die Gedächtniskirche erstreckt sich die City-West, Zentrum des einstigen West-Berlin. Der Kurfürstendamm (oben links das neue Kranzler-Eck) ist noch heute Berlins wichtigste Einkaufsmeile. Gleich um die Ecke schlägt das wirtschaftliche Herz der Stadt: In der Fasanenstraße befindet sich die Berliner Börse (unten). Und abends lädt das Theater des Westens zum Musical.

The City-West, once West Berlin's city center, extends around the Memorial Church. Kurfürstendamm is still Berlin's most important shopping avenue (the new Kranzler-Eck top left). The financial heart of the city pulsates just around the corner at the Berlin Stock Exchange on Fasanenstrasse (below). In the evening, audiences are drawn to musicals performed at the Theater des Westens.

Autour de l'église du Souvenir s'étend la City-West, centre de l'ancien Berlin-Ouest. Le Kurfürstendamm (en haut à gauche, le nouveau Kranzler-Eck) est aujourd'hui encore une avenue commerçante. Tout près bat le coeur économique de la ville: dans la Fasanenstrasse se trouve la bourse de Berlin (en bas). Le soir, le «Theater des Westens» présente des spectacles de variétés.

Alrededor de la Iglesia del Memorial se extiende la City-West, centro del antiguo Berlín Oeste. La Kurfürstendamm (arr. izq. nueva Kranzler-Eck) sigue siendo la calle comercial más importante de Berlín. A la vuelta late el corazón económico de la ciudad: en la Fasanenstrasse está la Bolsa de Berlín (ab.). Y por las tardes el "Theater des Westens" invita a un musical.

Die Friedrichstraße gehört heute wieder zu den besten Adressen in Berlin. In den Friedrichstadt-Passagen finden sich Nobel-Boutiquen (links oben). Gleich um die Ecke liegt mit dem Gendarmenmarkt Berlins schönster Platz (nächste Seite, im Bild: Deutscher Dom, Schauspielhaus, Schillerdenkmal). Und nördlich der Spree lockt Europas größtes Revuetheater, der Friedrichstadtpalast.

The Friedrichstrasse is once again a top location in Berlin. Elegant boutiques can be found in the Friedrichstadt shopping arcade (top left). Gendarmenmarkt, Berlin's loveliest plaza, is just around the corner (next page, in photo: the German Church, Schauspielhaus, Schiller monument). And north of the Spree, Europe's largest revue theater, the Friedrichstadtpalast, draws large crowds.

La Friedrichstrasse est l'une des meilleures adresses de Berlin. Les «Friedrichstadt-Passagen» abritent des boutiques de luxe (en haut à gauche). Le Gendarmenmarkt voisin est la plus belle place (page suivante, sur la photo: la cathédrale allemande, le Schauspielhaus et le monument à Schiller). Au nord de la Sprée se trouve le plus grand music-hall d'Europe, le Friedrichstadtpalast.

La Friedrichstrasse es de nuevo una prestigiosa calle de Berlín. En los Pasajes de la Friedrichstadt hay elegantes boutiques (arr. izq.). A la vuelta está la plaza más hermosa de Berlín, el Gendarmenmarkt (pág. sig., en la foto: Catedral Alemana, Schauspielhaus, monumento a Schiller). Y al norte del Spree está el Teatro de "Revue" más grande de Europa, el Friedrichstadtpalast.

Der Hauptstädter flaniert gern »Unter den Linden«. Berlins Prachtstraße wird gesäumt von Barockbauten wie der Staatsoper (oben) und der Humboldt-Universität (rechte Seite, oben links). Während man Friedrich dem Großen auf dem Mittelstreifen ein Denkmal setzte, müssen sich andere preußische Größen mit einem Platz vor Schinkels Friedrichswerderscher Kirche begnügen.

Berliners enjoy a stroll along the elegant "Unter den Linden." Baroque buildings like the State Opera (above) and Humboldt University line the boulevard (right page, top left). Whereas Frederick the Great was honored with a monument at the avenue's center, other important Prussian figures have to console themselves with a spot in front of Schinkel's Friedrichswerder Church.

Les Berlinois aiment flâner «Unter den Linden». Cette avenue prestigieuse est bordée d'édifices baroques dont l'Opéra national (en haut) et l'université Humboldt (page de droite, en haut à gauche). Si Frédéric le Grand se dresse au milieu de l'avenue, d'autres personnalités prussiennes se contentent d'une place devant l'église de Friedrichswerder, conçue par Schinkel.

Al berlinés le gusta pasear por la espléndida avenida "Unter den Linden" con sus edificios barrocos como la Ópera Nacional (arr.) y la Universidad Humboldt (pág. der., arr. izq.). A Federico el Grande se le erigió un monumento en la franja central mientras otras eminencias prusianas han tenido que contentarse con un sitio delante de la iglesia Friedrichswerder de Schinkel.

Den östlichen Abschluss der »Linden« bildet seit 2003 wieder die Kommandantur, die äußerlich originalgetreu wieder aufgebaut wurde (oben, Blick vom Lustgarten über die Schlossbrücke). Das Zeughaus gegenüber beherbergt das Deutsche Historische Museum. Bis 2004 wurde der Innenhof überdacht und die Ausstellungsfläche um einen gelungenen Neubau von I.M. Pei erweitert.

Since 2003 the eastern end of the "Linden" is once again formed by the Kommandantur, the city headquarters that were rebuilt true to the original (above, view over the Schlossbrücke from the Lustgarten). The Zeughaus across the street houses the German Historical Museum. By 2004 the inner courtyard was covered and a new exhibition building designed by I.M. Pei was added.

Vers l'est, les «Linden» se terminent à nouveau depuis 2003 par la Commanderie, reconstruite à l'identique (en haut, vue du Lustgarten par-dessus le pont du Château). En face, l'Arsenal abrite le musée de l'histoire allemande. Depuis 2004, la cour intérieure est couverte et l'espace réservé aux expositions, doté d'un bâtiment supplémentaire réalisé par I.M. Pei.

En el extremo oriental de "Unter den Linden" ha sido reconstruida en 2003 la Comandancia con su fachada original (arr., vista desde el Lustgarten sobre el Schlossbrücke). El Zeughaus al frente alberga el Museo Alemán de Historia. En 2004 se terminó de construir la cubierta del patio interior y la ampliación muy lograda del área de exposiciones de I.M. Pei.

Die Museumsinsel versammelt auf engem Raum fünf – teils noch nicht wieder eröffnete – Museen von Weltruf. Kommt man von den »Linden«, fällt der Blick zunächst auf den Berliner Dom, das Glanzstück des wilhelminischen Neobarock, und den Lustgarten (oben). Eingangsbau zur Museumsinsel ist das Alte Museum, dessen Rotunde Skulpturen antiker Gottheiten enthält.

Five museums of international renown, some not yet re-opened, are set close together on the Museum Island. Visitors approaching from the "Linden" avenue first see the Lustgarten (above) and the Berlin Cathedral, a splendid example of the Wilhelminian neo-baroque. The Old Museum, with its rotunda of sculptures of Greek and Roman gods, forms the entrance to the Museum Island.

L'île des Musées rassemble sur un espace étroit cinq musées de réputation mondiale dont certains sont encore fermés. Quand on arrive par les «Linden», on voit d'abord la cathédrale de Berlin, prestigieux édifice néobaroque de l'époque wilheminienne, et le Lustgarten (en haut). Le Vieux Musée, dont la rotonde est ornée de statues de divinités antiques ouvre l'île des Musées.

La Isla de los Museos reúne en poco espacio cinco museos de fama mundial, algunos todavía no reabiertos. Viniendo por "Unter den Linden" se ve la Catedral de Berlín, valiosa obra del neobarroco guillermino, y el Lustgarten (arr.). El edificio de entrada a la Isla de los Museos es el Museo Antiguo, cuya rotonda presenta esculturas de antiguas divinidades.

Über dem Zusammenfluss der beiden Spreearme erhebt sich das Bodemuseum, das nach der Generalsanierung wieder Gemälde und Skulpturen beherbergen soll (links oben). Publikumsmagnet unter den Berliner Museen ist das Pergamonmuseum mit dem gleichnamigen Altar (links unten). Frisch renoviert erstrahlt bereits die Alte Nationalgalerie (oben und nächste Seite, im Hintergrund das Neue Museum).

The Bode Museum hovers over the point where two arms of the Spree merge. After renovation, the building will again exhibit paintings and sculptures (top left). The Pergamon Museum with the Pergamon Altar is Berlin's most popular museum (bottom left). The recently renovated Old National Gallery already radiates (above and next page, the New Museum in back).

Au confluent des deux bras de la Sprée se dresse le musée Bode qui exposera à nouveau, après sa restauration, des peintures et des sculptures (en haut à gauche). Le plus populaire des musées de Berlin est le musée de Pergame, du nom du fameux autel (en bas à gauche). Fraîchement restaurée, l'Ancienne Galerie nationale resplendit (en haut et page suivante, au fond, le Nouveau Musée).

En la confluencia de los dos brazos del Spree se levanta el Museo Bode que una vez restaurado volverá a exponer pinturas y esculturas (izq. arr.). Entre los museos berlineses el Museo de Pérgamo con el altar del mismo nombre (izq. abajo) es el más popular. Renovada hace poco relumbra ya la Antigua Galería Nacional (arr. y pág. sig., en el fondo el Museo Nuevo).

Die Spandauer Vorstadt nördlich der Spree ist das schillerndste Viertel Berlins. Hier kann man die Sonne am Spreeufer genießen, an Orten wie dem Tacheles Künstlern bei der Arbeit zuschauen (oben rechts), durch Passagen wie die Heckmann-Höfe bummeln (nächste Seite, mit Neuer Synagoge) und den Tag mit einem Essen im Jugendstil-Ambiente der Hackeschen Höfe ausklingen lassen.

The Spandauer Vorstadt north of the Spree is the most lustrous section of Berlin. Here you can bask in the sun on the banks of the Spree, watch artists at work at Tacheles (top right), meander through passageways like the Heckmann-Höfe (next page, with the New Synagogue) and end the day with a dinner in the art nouveau ambience of the Hackesche Höfe.

La Spandauer Vorstadt au nord de la Sprée est le quartier le plus varié de Berlin. On peut profiter du soleil sur les bords de la Sprée, observer des artistes pendant leur travail au Tacheles (en haut à droite), flâner dans les passages des Heckmann-Höfe (page suivante, avec La Nouvelle Synagogue) et clore sa journée sur un dîner dans une ambiance art-nouveau au Hackesche Höfe.

La Spandauer Vorstadt al norte del río Spree es el barrio más colorido de Berlín. Aquí se puede gozar el sol en la ribera del Spree, en lugares como el Tacheles ver a los artistas en su trabajo, deambular por pasajes como los Heckmann-Höfe (pág. sig., con la Nueva Sinagoga) y terminar el día con una cena en el ambiente Jugendstil de los Hackesche Höfe.

Kunst und Unterhaltung in vielerlei Form bietet auch der Prenzlauer Berg, zu DDR-Zeiten ein Hort regimekritischer Geister, heute ein in Teilen luxussanierter und teurer Wohnkiez. Hier findet man Kulturstätten wie die Kulturbrauerei (links oben) und den Pfefferberg (rechts daneben), unzählige Cafés und Kneipen, aber auch Berlins einzigen bewohnten Wasserturm.

Prenzlauer Berg also offers a variety of art and entertainment. Back in the GDR this area was a magnet for critical voices; today sections have been renovated into expensive residential neighborhoods. There are a number of cultural centers here like the Kulturbrauerei (top left) and Pfefferberg (adjacent right), countless cafés, bars and Berlin's only inhabited water tower.

Prenzlauer Berg aussi offre toutes sortes d'art et de divertissements. Refuge des esprits critiques à l'époque de la RDA, c'est aujourd'hui un quartier en partie luxureusement rénové et cher. On y trouve des lieux culturels comme la Kulturbrauerei (en haut à gauche) et le Pfefferberg (à droite à côté), quantité de cafés, et l'unique château d'eau habité de Berlin.

Arte y diversión ofrece también el Prenzlauer Berg, en tiempos de la RDA un baluarte de espíritus críticos al régimen y hoy un barrio de viviendas en parte renovadas con lujo y costosas. Aquí hay sitios culturales como la Kulturbrauerei (izq. arr.) y el Pfefferberg (der. al lado), numerosos cafés y bares, y la única torre del agua habitada de Berlín.

Wo sich einst kleine Häuser in engen Gassen drängten, entstand in den 60er Jahren eine großzügige »sozialistische« Stadt mit dem Alexanderplatz als Zentrum (rechts unten). So ist Berlin wohl die einzige Stadt der Welt, in deren Mitte ein Fernsehturm aufragt. Im »Roten Rathaus« residiert seit der Wiedervereinigung der Regierende Bürgermeister (rechts oben, Blick in die Eingangshalle).

Small houses once stood crowded together on narrow streets until the 1960s when an expansive "socialist" city was created with Alexanderplatz at its center (bottom right). Berlin is probably the only city with a television tower protruding out of its center. Since reunification the mayor of Berlin resides in the "Red City Hall" (top right, view into the entrance hall).

Petites maisons et ruelles étroites se bousculaient jadis là où dans les années 60, on érigea une spacieuse «ville sociasliste» avec en son centre l'Alexanderplatz (en bas à droite). Berlin est ainsi la seule ville du monde au centre de laquelle se dresse une tour de télé. Depuis la réunification, le bourgmestre réside dans l'«Hôtel de ville rouge» (en haut à droite, vue sur l'éntrée).

Ahí donde antes se amontonaban pequeñas casas en callejuelas angostas surgió en los años 60 una amplia ciudad "socialista" con la Alexanderplatz como centro (ab. der.). Así Berlín es la única ciudad del mundo en cuyo centro se levanta una torre de televisión. En el "Ayuntamiento Rojo" reside desde la reunificación el Alcalde Gobernador (arr. der., vista hacia el pabellón de entrada).

Am ehemals idyllischen Kupfergraben erheben sich heute die monumentalen Fassaden des Auswärtigen Amtcs. Der ältere Bau diente zunächst als Reichsbank, später als SED-Parteizentrale. Kleinstädtisches Flair empfängt den Besucher im Nikolaiviertel, das zur 750-Jahr-Feier Berlins 1987 weitgehend neu aufgebaut wurde. Original ist allerdings die gotische Nikolaikirche.

The monumental facade of the Foreign Office emerges at what was once the idyllic Kupfergraben. The older building first served as the Reichsbank, later as the SED party headquarters. Small-town flair awaits visitors in the Nikolai district that was extensively rebuilt for Berlin's 750th anniversary celebration in 1987. The gothic St. Nicholas Church, however, is an original.

Le Kupfergraben, jadis idyllique, est bordé aujourd'hui par les façades monumentales du ministère des Affaires étrangères. La partie ancienne fut la Reichsbank puis le siège du parti de la SED. Du quartier St Nicolas émane une atmosphère de petite ville. Il fut reconstruit pour les 750 ans de Berlin en 1987. L'église gothique St Nicolas est ancienne.

En la Kupfergraben, antes un lugar idílico, está hoy el monumental Ministerio de Asuntos Exteriores. En el viejo edificio estuvo primero el "Reichsbank" y luego la central del SED. El visitante nota el encanto de la pequeña ciudad en el barrio San Nicolás, reconstruido para el 750 aniversario de Berlín en 1987. La Iglesia San Nicolás de estilo gótico es original.

Die alten Hafenanlagen am Spreeufer südöstlich der Innenstadt haben sich zu einem gefragten Standort für Dienstleister und Medienfirmen entwickelt. An der Oberbaumbrücke, die wie ein Stadttor die Spreeschiffer grüßt, hat sich Deutschlands größte Plattenfirma, Universal, niedergelassen (rechts oben). Im Fluss vor den »Treptowers« steht die Plastik »Molecule Men«.

The old harbor grounds on the Spree banks southeast of the city center have become a desirable location for service and media enterprises. Berlin's largest record company, Universal, set up its offices at the gate-like Oberbaum Bridge that greets boatmen passing on the Spree (top right). The "Molecule Men" statue rests on the river in front of the "Treptowers."

Les anciennes installations portuaires le long de la Sprée au sud-est du centre sont des lieux prisés du secteur des services et des médias. Au pont de l'Oberbaum, qui, comme une porte de ville, salue les mariniers, s'est installée Universal, la plus grande entreprise de disques d'Allemagne (en haut à droite). Dans le fleuve, devant les «Treptowers», se dresse le «Molecule Men».

El antiguo puerto en el Spree al sudeste del centro de la ciudad es un lugar solicitado por firmas de servicios y de medios audiovisuales. En el puente Oberbaum que, como una puerta de la ciudad, saluda a los navegantes, tiene su sede Universal (der. arr.), la mayor firma de discos de Alemania. En el río, delante de las "Treptowers" está la escultura "Molecule Men".

48

An die Teilung der Stadt während des Kalten Krieges erinnern Museen und Gedenkstätten, etwa die East-Side-Gallery am Mühlendamm, die »Kapelle der Versöhnung« an der Bernauer Straße (rechts oben) und das Mauermuseum am einstigen Checkpoint Charlie. An die politische Verfolgung in der DDR gemahnt die Gedenkstätte Hohenschönhausen (unten).

The memory of the divided city during the Cold War is kept alive today by a number of museums and memorials such as the East Side Gallery on Mühlendamm, the Chapel of Reconciliation on Bernauer Strasse (top right) and the Wall Museum at the former Checkpoint Charlie. The Hohenschönhausen Memorial Site documents political persecution in the GDR (below).

Musées et lieux commémoratifs témoignent de la partition de la ville durant la guerre froide: la East-Side-Gallery le long du Mühlendamm, la «Chapelle de la Réconciliation» dans la Bernauer Strasse (en haut à droite) et le musée du Mur à l'ancien Checkpoint Charlie. Le mémorial de Hohenschönhausen (en bas) commémore les persécutions politiques en RDA.

Museos y memoriales recuerdan la división de la ciudad durante la Guerra Fría, por ejemplo, la East-Side-Gallery en la Mühlendamm, la "Capilla de la Reconciliación" en la Bernauer Strasse (arr. der.) y el Museo del Muro en el antiguo Checkpoint Charlie. El memorial de Hohenschönhausen (ab.) hace presente la persecución política en la RDA.

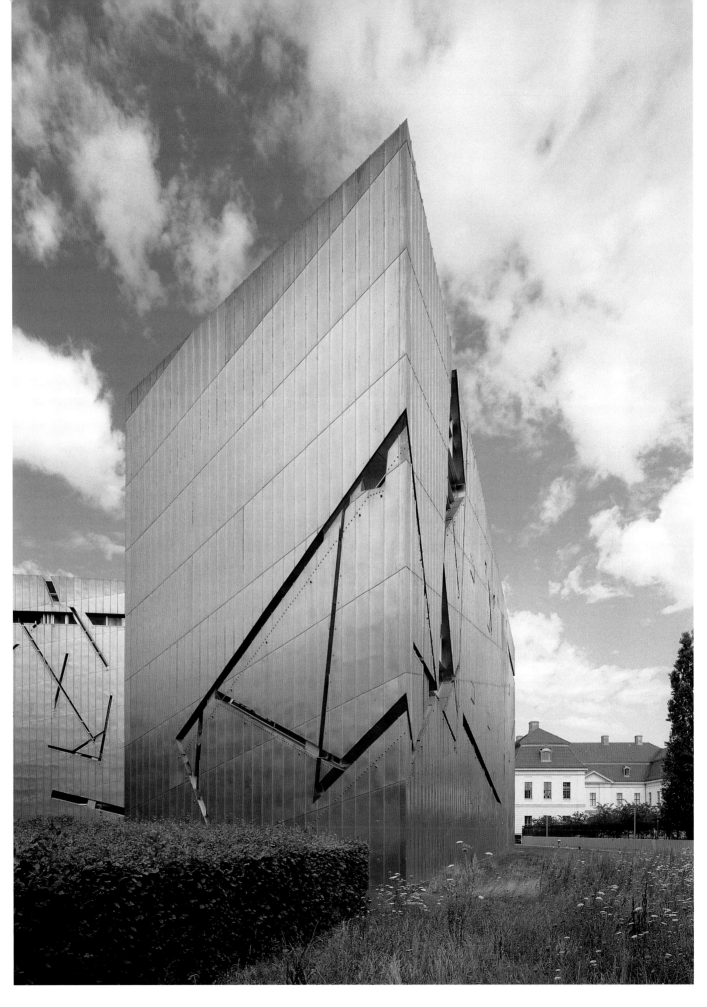

Der NS-Opfer wird an zahlreichen Orten gedacht. Das Jüdische Museum präsentiert sich in einer eindrucksvollen Architektur (links). Südlich des Pariser Platzes entsteht das Mahnmal für die ermordeten Juden Europas (unten). Und die »Topographie des Terrors« dokumentiert den Wahnsinn des Hitler-Regimes an originalem Schauplatz: Hier befand sich das Hauptquartier der Gestapo.

The victims of National Socialism are commemorated at numerous sites. The Jewish Museum is housed in a building of impressive architecture (left). South of Pariser Platz a Holocaust memorial is under construction (below). And the Topography of Terror exhibit documents the insanity of the Hitler regime at the site where the Gestapo established its headquarters.

Le souvenir des victimes du nazisme est partout présent. Le Musée juif impressionne par son architecture (à gauche). Au sud de la Pariser Platz, on érige le Mémorial des Juifs assassinés en Europe (en bas). Et «Topographie de la terreur» expose des documents sur la folie du régime hitlérien en des lieux historiques: ici se trouvait le quartier général de la Gestapo.

En muchos lugares se guarda la memoria de las víctimas del nazismo. El Museo Judío presenta una impresionante arquitectura (izq). Al sur de la Pariser Platz se construye el memorial de los judíos asesinados en Europa (ab.). La "Topografía del Terror" documenta la locura del régimen de Hitler en el lugar donde se encontraba el cuartel general de la Gestapo.

Verkehrsknoten Berlin: In Kreuzberg kreuzen sich auf vier Ebenen der Landwehrkanal, die Uferstraße, eine Fußgängerbrücke und die Hochbahn. Und vor dem Technikmuseum hängt ein »Rosinenbomber« (links oben). Aus der Frühzeit der Eisenbahn blieb allein der Hamburger Bahnhof erhalten – heute ein Kunstmuseum. In unmittelbarer Nähe liegt der neue Hauptbahnhof – Lehrter Bahnhof.

Berlin traffic junction: Landwehr Canal, street, a pedestrian bridge and urban railway intersect on four different levels in Kreuzberg. The "Raisin Bomber" plane hangs in front of the Technology Museum (top left). The Hamburg Station, now an art museum, is the sole relic of the early railway era. The new central station "Hauptbahnhof – Lehrter Bahnhof," is close by.

Nœud de communication: à Kreuzberg se croisent sur quatre niveaux le canal du Landwehr, la route, un pont piéton et le métro aérien. Et un avion du pont aérien (en haut à gauche) marque l'entrée du musée des Techniques. Des débuts du chemin de fer, il ne reste que la gare de Hambourg, devenue musée d'art. Non loin se trouve la nouvelle gare principale «Hauptbahnhof – Lehrter Bahnhof».

En Kreuzberg se cruzan a cuatro niveles el canal Landwehr, la calle, un puente peatonal y el ferrocarril elevado. Y delante del Museo de la Técnica cuelga un avión de los "Rosinenbomber" (izq. arr.). De la época antigua del ferrocarril queda sólo la estación de Hamburgo, hoy museo de arte. Muy cerca está la nueva estación central, la "Hauptbahnhof – Lehrter Bahnhof".

Die Berliner lieben Umzüge. Der Karneval der Kulturen, ein multikultureller Zug durch Kreuzberg, ist ebenso festes Highlight im Kalender wie der Christopher Street Day, Demonstration des Selbstbewusstseins und der Lebensfreude der Lesben und Schwulen (links unten). Und alljährlich im Juli ziehen Hunderttausende Techno-Jünger bei der Love Parade durch den Tiergarten (darüber).

Berliners love parades. The Carnival of Cultures, a multicultural parade through Kreuzberg, is as much an annual highlight as is Christopher Street Day, a demonstration of gays' and lesbians' self-confidence and zest for life (bottom left). And every year in July hundreds of thousands of young techno fans dance through the Tiergarten during the Love Parade (center left).

Les Berlinois adorent les cortèges. Multiculturel, celui du carnaval des Cultures traverse Kreuzberg et est tout autant un événement à ne pas manquer que le Christopher Street Day, manifestation de la joie d'être et de vivre des homosexuels (en bas à gauche). Et tous les ans en juillet, des milliers de fans de techno se retrouvent dans le Tiergarten pour la Love Parade (au milieu à gauche).

Los berlineses aman los desfiles. El Carnaval de las Culturas, un desfile multicultural en Kreuzberg, es tan importante como el Christopher Street Day, una manifestación de la conciencia de sí y de la alegría de vivir de lesbianas y gays (izq. ab.). Y todos los años en julio desfilan a través del Tiergarten miles de aficionados a la música tecno en la Love Parade (izq. centro).

Ganz im Westen der Stadt, in Charlottenburg, liegt das Messegelände mit dem 150 Meter hohen Funkturm. An Sommerabenden fahren die Berliner einige U-Bahn-Stationen weiter zu den Konzerten oder Kinoabenden in der Waldbühne. Seinen Namen leitet der Bezirk von Königin Sophie Charlotte ab, die sich das barocke Schloss als Sommerresidenz errichten ließ.

The convention grounds with the 150 meter high radio tower lie deep in the west of the city, in Charlottenburg. On warm summer evenings Berliners take the subway a few stops further to the Waldbühne to enjoy outdoor concerts and movies. The district is named after Queen Sophie Charlotte, who had the baroque palace built there as a summer residence.

A l'ouest de la ville, à Charlottenbourg, se trouve le parc des Expositions et la tour de la Radio (150 m de haut). Les soirs d'été, les Berlinois, à quelques stations de métro de là, assistent à la Waldbühne à des concerts et des films en plein air. La reine Sophie Charlotte fit construire ce château baroque comme résidence d'été et donna son nom au quartier.

En el oeste de la ciudad, en Charlottenburg, están los pabellones de la feria con la torre de radiodifusión de 150 metros. En las tardes de verano los berlineses asisten a los conciertos o a las presentaciones de cine en la Waldbühne. El distrito deriva su nombre del de la reina Sophie Charlotte que hizo construir el castillo barroco como su residencia de verano.

Auch das ist Berlin: In den Außenbezirken locken ausgedehnte Wälder, Seen und zahlreiche Sehenswürdigkeiten. Zum Beispiel Schloss Klein-Glienicke (oben), das Schlösschen auf der Pfaueninsel (unten) oder die Zitadelle Spandau (rechts oben). Und im »fernen Osten« von Berlin, in Marzahn, finden sich ein Japanischer (rechts unten) und ein Chinesischer Garten (nächste Seite).

This is Berlin, too: The outer districts allure with their expansive forests, lakes and numerous attractions. The Klein-Glienicke Palace (above), the little palace on the Peacock Island (below), and the citadel of Spandau (top right) to name a few. And in the "far east" of Berlin, in Marzahn, lie a Japanese (bottom right) and a Chinese garden (next page).

C'est aussi Berlin! Les quartiers périphériques sont pleins d'attraits avec leurs forêts, leurs lacs et leurs curiosités: le château de Klein-Glienicke (en haut), le petit château sur l'île des Paons (en bas) ou la citadelle de Spandau (en haut à droite). A Marzahn, à l'est, se trouvent un jardin japonais (en bas à droite) et un jardin chinois (page suivante).

También esto es Berlín. En los distritos exteriores seducen amplios bosques, lagos y muchas atracciones turísticas. Como el castillo Klein-Glienicke (arr.), el pequeño castillo de la Isla de los Pavos Reales (ab.) o la fortaleza renacentista de Spandau (der. arr.). Y en el "lejano oriente" de Berlín, en Marzahn, se extienden un jardín japonés (der. ab) y un jardín chino (pág. sig.).

Register

Originalausgabe
1. Auflage 2004
© 2004 Jaron Verlag GmbH, Berlin
Alle Rechte vorbehalten. Jede Verwertung des Werkes und
aller seiner Teile ist nur mit Zustimmung des Verlages erlaubt.
Das gilt insbesondere für Vervielfältigungen, Übersetzungen,
Mikroverfilmungen und die Einspeicherung und Verarbeitung
in elektronischen Medien.
Text: Arnt Cobbers, Berlin
Übersetzungen: Miriamne Fields, Berlin (englisch), Françoise
Hynek, Berlin (französisch), Santos – Erazo, Berlin (spanisch)
Umschlaggestaltung: Atelier Kattner, Berlin, unter Verwendung
von Fotos von Günter Schneider (von links nach rechts:
Deutsches Historisches Museum, Gedächtniskirche, Potsdamer
Platz, Brandenburger Tor)
Foto S. 2/3: Potsdamer Platz
Lithographie: LVD GmbH, Berlin
Satz und Layout: Prill Partners | producing, Berlin
Druck und Bindung: Druckerei Uhl, Radolfzell
ISBN 3-89773-501-6